メスティン自動レシピ

煮飯神器野炊料理

白米飯、烏龍麵、海鮮焗烤、法式吐司，
66道超幸福野炊料理

戶外煮飯神器愛好會／著　洪薇／譯

前言

Trangia 的煮飯盒「煮飯神器」深受露營登山達人的喜愛。本書前作《Mess Tin 煮飯神器露營食譜》一書中,除了講解煮飯神器的基本特徵外,還介紹了如何運用煮飯神器完成各類美味佳餚。

而在本書中,則是會提到在露營與登山愛好者之間十分知名的德國品牌──「Esbit」所推出的口袋爐,並分享運用煮飯神器進行自動烹飪的食譜。

自動烹飪是一種非常方便的烹調方式。過程是使用 Esbit 的攜帶型簡易爐具──「口袋爐」,搭配燃燒性極佳的「固體燃料」來加熱已放入食材的煮飯神器,在火熄滅前幾乎無須再做任何調整就能完成一道料理。

希望各位能參考本書的自動烹飪食譜,進一步享受使用煮飯神器製作美食的樂趣。ENJOY 煮飯神器!

煮飯神器愛好會

Contents

第3章　蒸

第4章　烤

Chapter

O

自動烹飪的基礎知識

序　章

首先，讓我們來學習煮飯神器的相關基礎知識，

以及自動烹飪的方法。

在了解使用固體燃料自動炊飯的基礎方式、

應用技巧以及必備工具後，便能更加靈活運用煮飯神器。

1

煮飯神器的基礎知識

　　戶外用具專用品牌 Trangia 的「煮飯神器」是目前在露營、登山界超受歡迎的戶外炊事用品。鋁製的盒身具有很高的導熱率，除了最簡單的炊飯功能之外，還能用來燉煮、蒸烤，就連大火快炒也難不倒它。簡約好用的設計，使煮飯神器在各領域都備受討論，可說是現在正夯的超人氣產品。

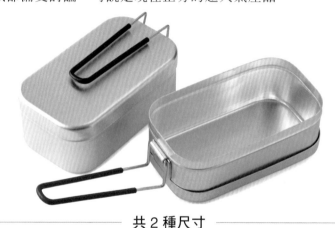

共 2 種尺寸

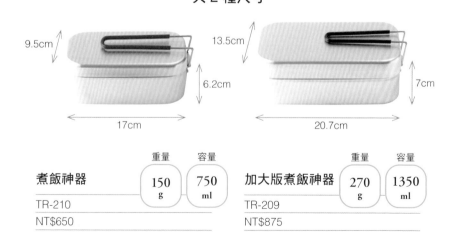

9.5cm　17cm　6.2cm

13.5cm　20.7cm　7cm

煮飯神器	重量	容量	加大版煮飯神器	重量	容量
	150 g	750 ml		270 g	1350 ml
TR-210			TR-209		
NT$650			NT$875		

2

使用前的準備步驟

　　為了讓煮飯神器的使用壽命更長，在購入後必須先「去毛邊」及「開鍋」，再拿來烹煮。若少掉這些步驟，很有可能在使用中意外受傷，或導致煮飯神器毀損，無法繼續使用。因此建議各位一定要確實執行使用前的準備步驟，還能藉此跟煮飯神器培養感情喔。

去毛邊

新買的煮飯神器邊緣仍是鋁材剛被裁斷時的狀態，非常鋒利。為避免不小心弄傷手指或嘴角，必須仔細去毛邊才行。

1 準備細緻的砂紙與棉紗手套或皮手套。

2 用砂紙磨擦本體與蓋子的邊緣。

3 直到徒手摸不到粗糙感就完成了。

開鍋

開鍋（seasoning）一般是指在開始使用鐵製鍋具前，讓鍋具更適應油的步驟。煮飯神器的開鍋則是使用洗米水，這個步驟能減輕器具的鋁臭味，還能預防加熱時產生黑垢。

1 在鍋中放入足以浸泡整個煮飯神器的洗米水。

2 泡入煮飯神器並加熱。

3 煮大約 15 ～ 20 分鐘左右，就能在表面形成米的皮膜。

3

自動炊飯基礎技巧

　　本書分享的食譜為自動烹飪的應用技巧，開始進入正題之前，先來複習一下自動炊飯的步驟吧！使用煮飯神器炊飯時，最麻煩的就是要精準掌控時間與火候，但使用固體燃料自動炊飯時，只要計算好燃料分量，再耐心等待熄火即可。

① 浸泡吸水

裝取 180ml 的米，浸泡吸水約 15～30 分鐘左右。水量高度僅需記得裝到把手兩處圓形接點的直徑，步驟十分簡單。

② 點燃固體燃料後開始炊煮

將 14g 的固體燃料擺入口袋爐後點火。大約過 10 分鐘左右，內容物會開始沸騰，這時請繼續放置直到火熄滅為止，過程無須在意火力或炊煮時間。

③ 倒放悶蒸

火熄滅後，請確實壓緊煮飯神器的蓋子並將其翻轉。為避免燙傷，請穿戴棉紗手套或皮手套。讓底部的水分均勻地蒸熟所有米飯。悶蒸時間為 15 分鐘。

④ 開蓋後即炊煮完成！

鬆軟美味的白米飯大功告成，底部還有一點恰到好處的鍋巴。點火後只要放著就能煮出高品質的白米飯，就是自動炊飯的魅力之處。

4

自動烹飪應用技巧

在掌握自動烹飪的基礎後,接下來要介紹進階應用技巧。基本上在點燃固體料後,就能完成大部分的食譜菜餚,但若加以活用優異的導熱率,就能拓展出更加多元豐富的烹飪手法。

疊起同時加熱

運用煮飯神器的熱傳導,在加熱中的煮飯神器上擺放罐頭或鈦杯同時進行加熱。此方法要記得把罐頭稍微打開,並視情況替鈦杯蓋上蓋子。

包裹住以餘熱調理

將蓋上蓋子的鈦杯與加熱完畢的煮飯神器一起用布包裹,利用餘溫加熱。建議可在悶蒸米飯料理時進行。

防焦技巧

用兩片摺成三摺的鋁箔紙夾住摺成四摺的沾水廚房紙巾,並將其鋪於煮飯神器底部以防止燒焦。在需長時間烘烤的料理中,這個方法非常管用。

5

口袋爐的種類

　　了解自動烹飪的方法後，接下來要介紹必備工具。以煮飯神器進行自動烹飪時，Esbit 的口袋爐是非常方便的配件，不僅方便攜帶，大小也剛剛好能收進煮飯神器中。此外，依不同用途，口袋爐還有各種各樣型態。

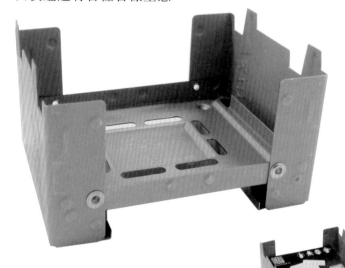

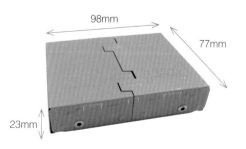

基本款口袋爐

ES20920000

NT$420

本書中也有使用的基本款口袋爐，能摺疊收進口袋，重量僅 85g。底部有開縫等結構，使加熱效率能達最佳狀態。此外，內部還能收納固體燃料，完全不浪費一點空間。

98mm

77mm

23mm

大型口袋爐

ES00289000

NT$690

比基本款大三倍的口袋爐。摺疊時的尺寸為 132×94×38mm，重量則為 174g。雖然體積較大，但也因此能比基本款承受更大更重的器具。

鈦合金爐

ESST115T1

NT$470

鈦合金製可摺疊式超輕量爐具。重量僅 13g，非常輕盈，且另附便於攜帶的收納網袋。雖防風性較差，但便攜性可說是首屈一指。

星型爐具

ES00241001

NT$85

由平面摺成立體後使用的拋棄式爐具。輕巧不佔空間，很適合搭配輕裝行囊，或作為急難包的隨身物品。

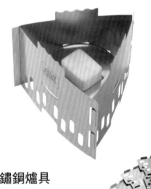

不鏽鋼爐具

ESCS75S000

NT$935

使用超輕量、最高級的不鏽鋼製成，能拆解收納的精巧型爐具。附有尼龍收納袋，但也可以直接收進煮飯神器中。

6
固體燃料的種類

　　固體燃料跟口袋爐一樣，是不可或缺的自動烹飪配件。本章所要介紹的固體燃料品質優異，跟一般市售的固體燃料相比，除了幾乎不會產生炊煙或燃燒氣體外，在高山或冰點以下的環境也能穩定燃燒。在本次自動烹飪食譜中有用到兩款燃燒時間不同的固體燃料，以下就來為各位詳加介紹。

軍用（14g×6）

ES11220000

NT$150

燃燒時間約 12 分鐘的固體燃料。由於能穩定地持續燃燒，很適合用於自動炊飯或燉、煮類食譜。是 Esbit 的固體燃料中能燃燒最久的產品。

基本款（4g×20）

ES10220000

NT$150

燃燒時間約 5 分鐘的固體燃料。可稍微加熱飲料，或作為燃盡前的補充燃料，以便維持一定的火力。另外，也可以折成一半使用。

0～5 分鐘

點燃後會暫時以猛烈的火勢燃燒，就算颱風也不用擔心。

0～2 分鐘

雖然只有 4g，但點燃後的火勢亦十分強勁。

5～10 分鐘

火勢逐漸趨於穩定，並大約維持在中火的程度。

2～4 分鐘

由於較無法長時間維持，火勢馬上轉弱。

10～12 分鐘

火勢轉小，以小火持續燃燒一陣子後熄火。

4～5 分鐘

火勢變得非常小，且在過一陣子後便熄滅。

7
調節火力的方法

　　固體燃料的特徵是燃燒殆盡後就會自動熄火，且點火後就無法調節火力。本章將配合料理方式，介紹調節火力的方法。不過，火力還有可能會受到風力等當時環境變化的影響，調節時須多加留意。

大火〈基本款 ×3〉

將三個 4g 的固體燃料一字排開，彼此之間須預留間隙。如果排得太緊密，燃料會在燃燒的過程中滴到地板上，引發延燒等的危險。

三塊同時點燃會形成非常強勁的火力。但由於加熱時間短，較適合炸物等時間短的料理。

中火〈軍用 ×1+ 基本款 ×1〉

點燃 14g 的固體燃料，並大約在 10 ～ 12 分鐘後，補充 4g 固體燃料，延長以中火加熱的時間。

小火〈基本款 ×1/2〉

將 4g 固體燃料折半，這樣從一開始就能以小火調理。需稍微調節火力，或欲以文火慢燉時，可選擇這種方式。

百元商店的固體燃料

一般常用的固體燃料。CP 值高且燃燒時間長，是非常好用的產品，但需注意此產品很容易氣化，無法長期保存。

8
利用擋風板穩定烹飪過程

自動烹飪最大的阻礙就是風的干擾。固體燃料比瓦斯爐更容易受到風力影響，火源無法對準煮飯神器是造成加熱不足的原因。以下將介紹幾種防風工具，它們能讓烹飪的過程能更穩定且順利。

UNIFLAME 擋風板 L

No.616527

NT$320

不鏽鋼材質具有一定的重量，能確實遮擋風吹。此外，兩側還附有可摺疊收納的支架，使產品更添穩定性。摺疊時的尺寸為155×94×4mm，如果有煮飯神器收納袋，也能一起收入其中。

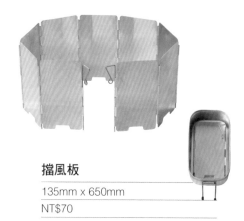

擋風板

135mm x 650mm

NT$70

無牌的便宜產品，但摺疊時的尺寸為135×76×15mm，能直接收進煮飯神器中。鋁製材質非常輕量，但遇強風可能會被吹動。此外，由於單片的厚度非常薄，要小心別太靠近火源以免熔化。

自製擋風板

一起來用 LOGOS 銷售的 BBQ 專用鋁箔紙，自製兩種口袋爐的擋風板。不但耐火性極佳，摺起來後也很好收納。

LOGOS
BBQ 方便好清鋁箔紙（極厚）
NT$180

● 帷幕型

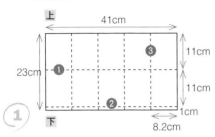

1 按圖片所示的長度裁下一張鋁箔紙。沿著虛線①向下凸折，並將多出來的部分沿著虛線②向上凹折，封住邊緣。最後沿著虛線③摺成 5 摺，就是一張可收進煮飯神器中的擋風板。

2 安裝方式是將 5 摺完全攤開後，圍住放在 Esbit 爐具上的煮飯神器邊緣。接著將剛好圍到把手兩側的錫箔紙兩端，用具耐熱性的迴紋針等加以固定即可。由於這是簡易的方法，就別太介意蓋子無法完全闔上。

● 安裝型

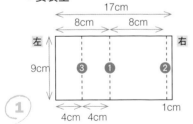

1 按圖片所示的長度裁下一張鋁箔紙。沿著虛線①向右凹折，並將多出來的部分沿著虛線②向左凸折，封住邊緣。最後沿著虛線③凹折。接著再摺出一個相同的鋁箔片後，就能完成剛好與口袋爐寬幅一致的安裝型擋風板。

2 安裝方法很簡單，將對折的兩片擋風板攤開後，插入口袋爐沒有壁面的正反兩側即可。如此便能在最小範圍內，替口袋爐遮擋來自四方的風。

9

方便好用的配件

　　除了擋風板外，還有許多能讓煮飯神器與爐具用起來更方便的配件。本章將分兩個主題做介紹，一是製造商的官方配件，二則是替代品，也就是雖然並不是該物品原本用途，但尺寸剛好適用的產品。

煮飯神器用 SS 蒸架（不鏽鋼製）	加大版煮飯神器專用 SS 蒸架（不鏽鋼製）
TR-SS210	TR-SS209
NT$220	NT$250

由 Trangia 推出的正版墊高蒸架，是各類蒸煮料理的必備配件。雖然有許多類似的市售商品，但很少有適合加大版煮飯神器的尺寸，且正版商品的品質也很不錯，在此推薦給各位。

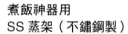

煮飯神器· 加大版煮飯神器專用 皮革手把套（皮革製）	煮飯神器收納袋 （帆布製）
TR-620210	TR-CS210
NT$610	NT$300

以爐具烹調時，手把不會過於高溫，但如果是使用固體燃料，手把則可能會因風向而燒焦。有了這個配件，料理起來會比較安全。

煮飯神器的蓋子無法完全固定，當內部裝有食材時，很有可能因突然的衝擊導致內容物溢出。這時若有個收納袋，就能避免這種狀況，還能保護煮飯神器免於汙損或刮傷。

替代品

GRANITE GEAR AIR CELL BLOCK S

mgng18a006

NT$960

雖然是 GRANITE GEAR 的保冷袋，但大小剛好可以收納煮飯神器。此產品不但具有優異的保冷功能，用以保存食材外，還擁有緩衝性，能保護容易受損的煮飯神器，也能用來保溫。

Belmont TITANIUM TRAIL CUP 280 摺柄式

BM-007

NT$990

戶外餐具品牌 Belmont 出品的鈦杯，尺寸為 92×53mm，高度與寬度都剛好能收進煮飯神器內。烹煮湯類或飯類料理時，可作為方便的分裝用碗，也可當成杯子使用或者用來收納。

百元商店尋寶！

在百元商店也能找到替代品，以下將介紹本書發現的三件好用商品。

● 不鏽鋼名片夾

在文具賣場常見的鐵製名片夾。其實這款名片夾的大小剛好與口袋爐一致，安裝在展開的爐具上可用來防風，還可當成防止燃料滴落的托盤。但須注意安裝後，煮飯神器會有點難放。

● 耐熱布丁杯

這款小型布丁杯可收進煮飯神器中，不僅能當成迷你鈦杯，收納時還能用來分裝一些小東西。但需留意的是這款杯子的導熱性不太好，而且有點重。

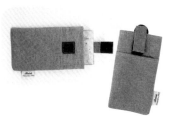

● 筆袋

原本是可掛於書本上的筆袋，大小剛好能收納口袋爐。內部夠深，在放入口袋爐後，還放得下固體燃料等物品。材質、設計也都十分簡約，很適合用於戶外活動。唯一要注意的是不具防火性，請勿在爐具剛使用完畢時馬上收納。

方便的收納方法

目前已介紹了煮飯神器以及爐具等配件，要是能將這些配件連同其他工具一併收進煮飯神器中，攜帶上應該會更加方便。本章將按三個不同主題，介紹方便實用的收納範例。

調理工具收納型

本收納法適合想要舒適且充分地享受自動烹飪樂趣的人。固體燃料備有 4g 與 14g 共兩款，可用來調節火力。爐具則選擇不鏽鋼爐，不僅不占空間，還具有防風性，能遮擋調理時令人最困擾的風。此外，蒸煮料理必備的蒸架也在其中，各類型的料理都能製作。餐具更是一應俱全，讓人能毫無壓力地享受美食。

食材收納型

本收納法中收納的是 p.44「鮭魚吻仔魚炊飯」的材料。只要帶著一盒煮飯神器就能直接開始烹調料理,是很適合野炊的收納風格。將食材所需的分量放入夾鏈袋後,再放入保冷劑以防食物變質,運用這種方法就能收納各種各樣的食材。此外,雖然大部分的位置都被食材佔據,但只要有精巧的鈦合金爐具,就能搞定收納空間。

簡單收納型

收納風格十分簡單,就是在基本款口袋爐內收入一盒固體燃料。其它空間還收入了擋風板、小夾子、刀具以及打火機等,烹調時毫無壓力。其中的摺疊杯可用來混合調味料或製作醬料,是用餐時的法寶。亦可配合欲製作的食譜,帶上調味料瓶等。

Chapter

1

炊

第 1 章

煮飯神器最廣為人知的功能，

就是在露營時也能煮出香噴噴的白米飯。

然而除了白米飯之外，還能善用固體燃料自動炊煮，

做出蓋飯、炊飯、粥等各種方便又美味的料理。

炊煮的自動烹飪重點

吸水時間會依食譜而異

米飯的吸水時間會依食譜而異，如果沒有時間預泡直接烹煮也沒問題，也可依喜歡的口感調整吸水時間。

悶蒸時要記得保溫

在固體燃料熄滅、將煮飯神器倒放悶蒸時，要記得用布料等物品包裹，在提升保溫性的同時，還能利用熱對流煮出更美味的料理。

☑炊 □煮 □蒸 □烤　　　　　　　　　　14g×1

明太子芥菜飯

用奶油調和後的芥菜能與明太子、黑胡椒的
辣味形成絕妙的味覺饗宴

材料

無洗米……180ml
水……200ml
芥菜……2 大匙
奶油……1 片（8g）
明太子……1 塊
粗粒黑胡椒……少許

作法

1　在煮飯神器內放入米跟水，擺上芥菜浸泡 30 分鐘。

2　於步驟 1 放上奶油後蓋上蓋子，點燃 14g 固體燃料加熱。

3　加熱到火熄滅後，將蓋子朝下倒放，用布包裹靜置 10 分鐘。

4　撒下大量粗粒黑胡椒，擺上明太子並充分攪拌均勻。

　　🅟OINT 吸水時放入芥菜能讓米飯粒粒入味。

☑炊 ☐煮 ☐蒸 ☐烤

14g × 1

簡易炊煮炒飯

炊煮即可完成的叉燒風味簡易炒飯

材料

無洗米……180ml ／水……200ml
叉燒……90g ／蔥……1/4 根
中華調味料……1 大匙／麻油……1 大匙
鹽、胡椒、青蔥……適量
A │ 雞蛋……1 顆／鹽……適量

作法

1 在煮飯神器放入水跟米，吸水 5 分鐘。

2 切碎叉燒與蔥。

3 於煮飯神器放入步驟 2、中華調味料與麻油，點燃 14g 固體燃料炊煮。

4 用材料 A 製作炒蛋並拌入飯中，最後再用鹽、胡椒調味。

  ℗ OINT 炒蛋可以使用現成的商品。

簡易西班牙燉飯

簡單幾個步驟就能煮出一道華麗菜餚
海鮮高湯一滴也不浪費的美味炊飯料理

材料

蝦子……3 隻／無洗米……180ml
橄欖油……1 大匙／義大利歐芹……適量
檸檬（切片）……適量／花蛤……5 顆
A｜水……200ml ／高湯粒……1 小匙
　｜薑黃……少許／蒜泥狀……少許

作法

1　蝦子剝殼並去除沙筋。

2　在煮飯神器放入米和橄欖油，點燃 14g 固體燃料後輕輕拌炒。

3　放入材料 A、蝦子與花蛤並蓋上蓋子。

4　加熱到火熄滅，接著悶蒸 10 分鐘。

5　開蓋後撒上義大利歐芹，最後再擠上檸檬調味。

　Ⓟoint　使用綜合海鮮包會更方便！加入薑黃則可以輕鬆增添色澤。

豬肉半熟蛋蓋飯

豬肉拌入半熟蛋的好滋味令人難以抗拒
讓人想大快朵頤的豪邁蓋飯料理

材料

無洗米……180ml ／水……200ml（吸水用）
豬五花肉（切片）……100g ／生薑……1 片
雞蛋……1 顆（大小 S ～ M）／蔥花……適量
七味唐辛子……少許／水……1 小匙

A
醬油……1 大匙又 1 小匙／砂糖……2 小匙
醋……1 小匙／麻油……1 小匙
鹽……少許

作法

1　在煮飯神器內放入米和水，吸水 30 分鐘。

2　豬五花肉切成一口大小、生薑切絲後，用混好的材料 A 浸漬 20
　　分鐘。

3　將步驟 2 放入步驟 1，點燃 14g 固體燃料。

4　在鋁製容器內加水，放入雞蛋後蓋上蓋子，封上保鮮膜後再放在
　　步驟 3 的蓋子上。

5　等火熄滅後，將煮飯神器翻轉朝下，於上方擺上鋁製容器後，用
　　布包裹悶蒸 10 分鐘。

6　開蓋後撒上蔥花、擺上雞蛋，最後撒上七味唐辛子就完成了。

　　Ⓟoint 在鋁製容器中加水，蛋殼較容易剝乾淨。

干貝美姬菇暖粥

療癒身體的疲憊
充滿貝類鮮甜滋味的溫暖粥品

材料

無洗米……30g ／水……300ml ／干貝……50g
美姬菇……15g ／青蔥……適量／高湯粒……1 大匙
鹽……適量／胡椒……適量

作法

1　煮飯神器內放入米與水，吸水 15 分鐘。

2　干貝切成細絲，剝散美姬菇，青蔥切成蔥花。

3　將所有食材放入煮飯神器中，接著點燃 14g 固體燃料。

4　最後再以鹽、胡椒調味。

　　Ⓟoint 切碎干貝好讓整鍋粥充分入味。

☑炊 □煮 □蒸 □烤　　　　　　　　　　14g×1

番薯炊飯

番薯的香氣四溢，很適合冬季的暖胃炊飯

材料

無洗米……180ml ／番薯……1/3 條（100g）／芝麻鹽……適量
A │ 五穀米……1 大匙／高湯粒……1/2 小匙／水……220ml

作法

1　在煮飯神器內放入米與材料 A，充分混合後，靜置 30 分鐘。

2　番薯切成 1cm 的塊狀。

3　於步驟 1 放入番薯，關蓋並點燃 14g 固體燃料。

4　加熱到火熄滅後，悶蒸 10 分鐘。

5　開蓋後攪拌，最後撒上芝麻鹽。

　　ＰOINT　可改成咖哩口味，也可放入豆類或栗子。

墨西哥風抓飯

墨西哥風味香辛料調味
讓人食慾大開的抓飯料理

材料

無洗米……180ml ／水……120ml
洋蔥……1/4 顆／蒜頭……1 顆
西班牙臘腸或德國香腸……3 根
番茄罐頭……100g ／玉米……20g.
高湯塊……1 塊／孜然……適量
香菜……適量／辣粉……適量／鹽……適量

作法

1　在煮飯神器放入米和水，吸水 15 分鐘。

2　洋蔥、蒜頭切碎，西班牙臘腸（德國香腸）則切成 1cm 左右的圓片狀。

3　將所有材料放入煮飯神器，點燃 14g 固體燃料炊煮。

4　煮好後撒鹽調味，最後依喜好撒上歐芹。

　　Ⓟoint 可依個人喜好調整香辛料的添加量，調出經典口味。

雞肉炊飯

山椒與湯汁的味道超合拍
美姬菇的口感也很棒

材料

　無洗米……180ml ／水……200ml
　烤雞罐頭……1 罐／美姬菇……20g
　鹽……少許／細蔥花……適量
　山椒……少許

作法

1　在煮飯神器中放入米和水，加入烤雞、罐頭湯汁、已剝散的美姬
　　菇以及鹽巴後，靜置 30 分鐘。
　　（罐頭剩下的湯汁加一點水稀釋後，就能一滴也不剩地倒出來）

2　蓋上蓋子並點燃 14g 固體燃料。

3　加熱至火熄滅後，將蓋子朝下倒放，並用布料包裹悶蒸 10 分鐘。

4　撒上蔥花、山椒，最後攪拌混合後就完成了。

　　Ⓟoɪɴᴛ 在吸水時加入烤雞罐頭跟美姬菇，事先做好調味。

 14g×1

中華粥

雞肉與中華高湯超合拍
煮成可以刺激食慾的美味粥品

材料

無洗米……30g ／水……300ml
雞肉……50g ／麻油……適量
青蔥……適量／中華高湯……1 大匙
鹽……適量／胡椒……適量

作法

1　在煮飯神器內放入米和水，吸水 15 分鐘。

2　雞肉切成一口大小，青蔥則切成蔥花。

3　放入雞肉、麻油、中華高湯、水後，點燃 14g 固體燃料。

4　以鹽、胡椒調味，並依喜好添加麻油，最後撒上青蔥。

　　🅟oint 也可依個人喜好加入美姬菇等菇類。

創意食譜 1

食材超好買的超商食譜

本篇介紹的簡易食譜運用了便利商店的食材,任誰都能輕鬆製作!各位可參考以下範例,探尋出屬於自己的獨家食譜。

鮭魚吻仔魚炊飯

14g×1

作法

1. 用煮飯神器洗好米後,浸泡吸水 15 分鐘。
2. 於吸水後的米飯擺上鮭魚後,撒上吻仔魚和蔥花。
3. 蓋上蓋子,點燃 14g 固體燃料加熱。
4. 等火熄滅後,將煮飯神器倒放悶蒸 15 分鐘。

材料

鹽烤鮭魚……1 盒／吻仔魚……1 盒／碎蔥花……適量
米……180ml ／水……200ml

鮭魚和吻仔魚的鹹味恰到好處!
一道簡易的炊飯料理

簡易韓式泡菜鍋

14g×1

利用水煮配料變出
簡單的韓式鍋物！

作法

1 於煮飯神器內放入滿滿
的泡菜、日式豬肉湯用水
煮配料、板豆腐（也可依
喜好加入肉類或蔬菜）。

2 蓋上蓋子，點燃 14g 固
體燃料加熱。

3 等火熄滅後開蓋，最後加
入鹽、韓式辣醬調味。

便利商店炸雞排蓋飯

4g×1

用便利商店炸雞製作
簡易的炸雞排蓋飯！

作法

1 在煮飯神器內塞入即食
飯，擺上便利商店炸雞。

2 打散 2 顆雞蛋後，加入醬
油、味醂、砂糖等調味。

3 在雞肉上淋上步驟 2 後蓋
上蓋子，接著點燃 4g 固體
燃料加熱。

4 等火熄滅後開蓋，並撒上
適量的胡椒。

漢堡肉起司焗飯

4g×2

利用玉米濃湯
營造香濃風味！

作法

1 在煮飯神器內放入即食飯，並淋上已用約 100ml 的水拌開的玉米濃湯。

2 將漢堡肉連同醬汁一起倒入後，擺上一片起司片。

3 蓋上蓋子，點燃兩塊並排的 4g 固體燃料加熱。

暖呼呼鯖魚茶泡飯

4g×2

鯖魚的甜味和雜穀米
簡直天生一對！

作法

1 在煮飯神器中放入一顆雜穀米飯糰，並撒上一包茶泡飯材料包。

2 倒入水煮鯖魚罐頭與 100ml 左右的水。

3 蓋上蓋子，排擺好兩塊 4g 固體燃料後，點火加熱。

4 等火熄滅後，最後撒上青蔥。

香蕉烤布丁

14g×1

布丁與綿密的
香蕉融為一體！

作法

1 在煮飯神器內側均勻塗抹
  適量的奶油。
2 放入切成適當大小的香蕉
  後，擺上布丁。
3 蓋上蓋子，點燃 14g 固
  體燃料加熱。
4 等火熄滅後，最後撒上肉
  桂粉。

燉煮炒泡麵

14g×1

用煮飯神器輕鬆煮出
簡易的炒泡麵料理！

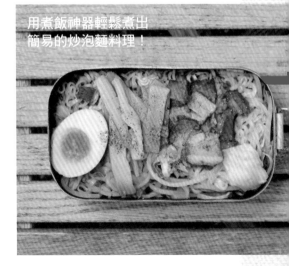

作法

1 將泡麵折碎後放進煮飯神
  器內，加入粉末湯包以及
  200ml 左右的水。
2 放入適量的蔬菜，蓋上蓋
  子並留點縫隙，接著點燃
  14g 固體燃料加熱。
3 等火熄滅後，擺上下酒菜
  叉燒、水煮蛋和筍乾。

Chapter **2**

煮

煮飯神器的各種食譜當中，

燉煮料理的種類可說是位居第一。

這種方便又簡單的調理方式，不僅善用煮飯神器的深度，

可以把食材全數裝入，再加入調味料或高湯，

使用固體燃料自動計時加熱，就能煮出一道美味的燉煮料理。

燉煮的自動烹飪重點

使用不同的關蓋方式

用大火沸騰時要蓋緊蓋子，而用慢火燉煮時，則要將蓋子稍微打開。不同食譜應搭配不同的關蓋方式。

把較硬的食材放在底部

每種食材煮熟的時間都不同，料理時要把較難煮熟、較硬的食材放在底部，以均勻加熱。

鮮奶燉香腸

大人小孩都喜愛的
經典挪威家庭料理

材料

德國香腸……250g
（1 根 50g，共 5 根。1 根斜切成 4 ～ 5 片）
長蔥……2/3 根（一口大小）／鮮奶油……50ml
蘑菇……20g（切成薄片）／奶油……1/2 大匙
牛奶……100ml ／歐芹……適量

A｜番茄泥……100ml ／高湯……2g
　月桂葉……1 片／粒狀黑胡椒……3 粒
　粒狀白胡椒……3 粒

作法

1　在煮飯神器內放入奶油，並將蔬菜、德國香腸切好。

2　蔬菜放入煮飯神器和奶油充分混合後，在上方鋪滿德國香腸。

3　蓋上蓋子，點燃 14g 固體燃料。大約過 1 分鐘後，放入材料 A 並
　　再次關蓋。

4　湯滾後開蓋，放入鮮奶油和牛奶並充分混合後，燉煮到火熄滅
　　為止。

5　待火熄滅後，最後撒上剪碎的歐芹就大功告成。

🄿ᴏɪɴᴛ 要讓蔬菜充分裹上奶油以免燒焦。

焗烤白菜湯

濃郁醬汁可搭配麵包一同享用

材料

白菜……1/10 顆／培根片……3 片
乳酪絲……1/2 杯／奶油……1 片

A
　牛奶……150ml ／玉米澱粉……2 大匙
　碎高湯塊……1/2 塊／砂糖……1/2 小匙
　蒜泥……1/4 小匙
　胡椒、鹽、肉豆蔻粉……少許

作法

1　白菜切成一口大小,培根則切成 4 等分。

2　於煮飯神器鋪入白菜較硬的部分,並擺上一半的培根。

3　在步驟 2 上每疊 3 片白菜就放上一點培根,最後把剩下的白菜都放進去。

4　將充分混合的材料 A 淋於步驟 3,最後撒上乳酪絲跟奶油。

5　點燃 14g 固體燃料,蓋上蓋子時稍微留一點縫隙,接著加熱到火熄滅為止。

6　待火熄滅後,用噴槍稍微炙燒表面。

🄿oint 白菜較硬的部分放在底部比較容易熟。

干貝胡椒鍋

鍋物燉煮的時間愈長
湯頭愈有食材的濃郁鮮味

材料

干貝……適量／花蛤……適量
蛤蜊……適量／美姬菇……1 盒
蔥……1 根／水菜……半束
粗粒綜合胡椒……1 小匙

A
　昆布高湯（顆粒）……2 小匙
　粒狀黑胡椒……10 顆
　粒狀白胡椒……10 顆
　醬油……1 大匙／酒……1 大匙
　水……250ml

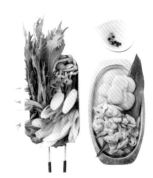

作法

1　蔬菜類擺入煮飯神器中後，放入材料 A，接著點燃 3 顆並排的 4g 固體燃料。

2　待步驟 1 滾開，放入貝類。

3　等步驟 2 煮熟後，撒上粗粒綜合胡椒就完成了。

4　可不斷補充食材和 4g 固體燃料，享受煮火鍋的樂趣。

　　Point 貝類可依喜好放入約三種左右。

香蕉椰奶羹

利用燉煮溶出香蕉的甜味後
再用椰奶與堅果調和味道

材料

香蕉……2 根／綜合堅果……適量
椰奶……1 罐／砂糖……2 大匙

作法

1　香蕉去皮後，縱向切成對半。綜合堅果則切成粗塊。

2　於煮飯神器放入綜合堅果以外的材料，點燃 14g 固體燃料後，煮到火熄滅為止。

3　待火熄滅後，撒上綜合堅果就完成了。

Ⓟoint 用湯匙弄碎香蕉，使其充分沾上椰奶。冰鎮後也很美味。

☐炊　☑煮　☐蒸　☐烤　　　　　　　　　14g×1

肉桂蘋果醬

蘋果的口感伴隨著肉桂的香氣在嘴中擴散

材料

蘋果（紅玉）……1 顆／砂糖……70g（蘋果一半的量）
檸檬汁……1 小匙／肉桂棒……1 根

作法

1　徹底清洗蘋果，切成八等分並去芯後，連皮切成薄片。

2　於煮飯神器內放入所有材料並充分混合，靜置 10 分鐘直到出水
為止。

3　點燃 14g 固體燃料，從中途開始一邊攪拌一邊煮到火熄滅為止。
冷卻後即可食用。

 完成的果醬不僅可用來抹麵包，也可以用來沾肉類享用！

□炊 ☑煮 □蒸 □烤

14g×1

4g×2

水牛城辣雞翅

令人吮指回味的甜辣醬汁
發祥自紐約的雞翅料理

材料

雞翅……4 支／奶油……2 片
鳳梨汁（果實 100%）……100ml

A
番茄醬……2 大匙／卡宴辣椒粉……1 小匙
蒜泥……1 小匙／鹽……1/3 小匙
塔巴斯科辣椒醬……10 滴
砂糖……1/2 小匙／胡椒……少許

作法

1 用叉子在雞翅的兩面戳洞，好讓醬汁充分入味。

2 在煮飯神器內倒入鳳梨汁與材料 A，充分混合後擺入步驟 1，接著預先撒上切成小塊的奶油。

3 點燃 14g 固體燃料後，蓋上蓋子時要稍微留點縫隙。

4 等火熄滅後，間隔擺上 2 塊 4g 的固體燃料，隨後點火並擺上開蓋的煮飯神器。

5 將雞翅翻面後，加熱到火熄滅為止。

🅟OINT 間隔擺放 4g 固體燃料以均勻加熱。

☐炊 ☑煮 ☐蒸 ☐烤 14 g × 1

酸辣湯

夏天也能爽口享用的料理
還能作為提神的早餐

材料

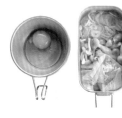

水煮竹筍……50g ／美姬菇……15g
馬鈴薯澱粉（馬鈴薯澱粉 1 大匙、水 20g）
雞蛋……1 顆／鹽……適量
青蔥……適量／胡椒……適量
A｜水……300ml ／中華高湯……1 大匙
　｜辣油……適量／醋……2 大匙

作法

1　將竹筍切成容易食用的大小並剝散美姬菇，青蔥則切成蔥花。

2　竹筍、美姬菇和材料 A 放入煮飯神器內後，點燃 14g 固體燃料。

3　等煮滾後，倒入溶於水的馬鈴薯澱粉煮出勾芡，接著打入雞蛋。

4　用鹽、胡椒調味，並撒上青蔥。最後可依喜好滴上辣油。

🄿OINT 若燉煮太久，味道會過於濃郁，這時建議可加水調整濃淡。

□炊 ☑煮 □蒸 □烤

14g×1
4g×1

奶油乳酪筆管麵

濃郁的起司筆管麵
搭上粗粒黑胡椒簡直絕配

材料

筆管麵……60g
奶油乳酪（單個包裝）……3 顆（約 55g）
高湯塊……1/2 塊／水……200ml
橄欖油……1 大匙／蒜泥……1/4 小匙
粗粒黑胡椒……適量

作法

1　在煮飯神器內放入筆管麵、切碎的高湯塊以及水，然後靜置 40 分鐘。

2　在步驟 1 中放入橄欖油與蒜泥，充分攪拌後，擺上奶油乳酪。

3　點燃 14g 固體燃料，蓋上蓋子時稍微留點縫隙。

4　等火熄滅後，點燃 4g 的固體燃料，接著擺上開蓋的煮飯神器。

5　不時攪拌，並加熱到火熄滅為止。

6　撒上大量粗粒黑胡椒就完成了。

Ⓟoint　推薦使用快煮型筆管麵。此外，步驟 5 要小心不要燒焦。

14g×1

茄汁燉飯

用番茄汁就能簡單烹調
利用煮飯神器重現經典的燉飯料理

材料

米飯……1 碗／厚切培根……50g

A | 番茄汁……200ml ／顆粒高湯……1 小匙
　 | 月桂葉……1 片／鹽、胡椒……少許

B | 橄欖油……1 大匙／蒜頭（薄片）……1 片

C | 起司粉、黑胡椒……適量

作法

1　將培根切成 1cm 寬後，和材料 B 一起放入煮飯神器內。點燃 14g
　　固體燃料後開始拌炒。

2　加入材料 A 煮到沸騰後，加入米飯拌勻，接著煮至火熄滅為止。

3　等火熄滅後，撒上材料 C 就完成了。

Ⓟoint 用冷藏剩飯變化出的食譜。

□ 炊　☑ 煮　□ 蒸　□ 烤　　　　　　　　14g×1

湯餃

食材可收納進煮飯神器，適合登山的簡易湯類食譜

材料

冷凍水餃……5 顆／蔥……1/5 根／水……300ml
中華高湯……1 大匙／麻油……適量

作法

1　將蔥切成蔥花。

2　把麻油以外的所有食材都放入煮飯神器內，並點燃 14g 固體燃料。

3　等火熄滅後，最後依喜好滴上麻油。

　　OINT　水餃要稍微解凍，才能充分吸收中華高湯。

水果乾巧克力慕斯

慕斯濃郁的口感與奇異果酸味非常對味
一道適合大人的正統甜點

材料

牛奶……255ml ／檸檬皮……適量
奇異果……1/2 顆（刨成 3 片）
迷迭香……適量

A
白酒……120ml ／迷迭香……適量
無花果乾……3 顆（切成 4 等分）
棉花糖……4 顆（切成 4 等分）
葡萄乾……1 又 1/2 大匙

B
板巧克力……1.5 片（切成細碎狀）
洋菜粉……5g ／可可粉……約 20g

作法

1　將分別切好的材料 A 全部放進煮飯神器內，靜置 0.5 ～ 1 天。

2　材料 B 全部混合。

3　取出步驟 1 中的迷迭香後，點燃 4g 固體燃料加熱，並於此時倒入牛奶，一邊翻攪一邊融化棉花糖。請不斷從底部整鍋翻攪混合，直到完全融化成滑順的狀態為止。

4　將步驟 2 分四次倒入步驟 3 中，並使其完全融化。蓋上蓋子靜置 2 ～ 3 小時。

5　等步驟 4 凝固後，再擺上奇異果、迷迭香和檸檬皮。

Ⓟoint　為必免底部燒焦，步驟 3 時要充分攪拌，讓材料完全融化。另外要記得隨時補充 4g 固體燃料。

□炊 ☑煮 □蒸 □烤　　　　　　　　　　　14g×2

番茄燉夏季蔬菜

內含多種豐富蔬菜
有益身體健康的繽紛菜餚

材料

櫛瓜……1/4 根／茄子……1/4 根
甜椒（紅）……1/4 顆／甜椒（黃）……1/4 顆
青椒……1 顆／洋蔥……1/4 顆／鯷魚……適量
蒜頭……1 顆／橄欖油……適量
番茄罐頭……200g ／水……100ml
高湯塊……1 塊／鹽……適量／胡椒……適量
香葉芹……適量

作法

1　櫛瓜、茄子切成半月狀，甜椒、青椒隨意切成小塊，洋蔥則縱切
　　成片狀。

2　點燃 14g 固體燃料，把搗碎的蒜頭跟鯷魚一起放下去以橄欖油加
　　熱，等出現香氣後，放入步驟 1 輕輕拌炒。

3　放入番茄罐頭、水、高湯塊後蓋上蓋子，接著點燃第二塊 14g 的
　　固體燃料進行燉煮。

4　等火熄滅後，用鹽、胡椒調味，最後撒上橄欖油和香葉芹。

　　🅿ᴏɪɴᴛ 將較難熟透的櫛瓜等食材鋪在底部。

□炊 ☑煮 □蒸 □烤

14g×2

法式洋蔥湯

簡單卻充滿韻味
非常適合搭配法國麵包一同享用

材料

洋蔥……1 顆（直徑 7 ～ 8cm）／鹽……僅少許
奶油……1 片／碎歐芹、胡椒……少許

A　水……200ml ／白酒……1 大匙
高湯塊……1 塊

作法

1　將洋蔥橫向切成對半，接著在切面上劃出十字。

2　在煮飯神器放入材料 A，再擺入步驟 1。

3　在洋蔥上撒鹽後，各擺上 1/2 片的奶油。

4　點燃 14g 固形燃料，蓋上蓋子加熱。

5　等火熄滅後，再點燃一塊 14g 的固形燃料繼續加熱。

6　等火再次熄滅，撒上歐芹、胡椒調味。

　　 🅟OINT 選用新鮮洋蔥，吃起來會更甘甜濃郁。

□炊 ☑煮 □蒸 □烤　　　　　　　14g×1

通心粉清湯

能立即上桌的超經典湯品
豆類可以增加飽足感

材料

通心粉（沙拉用）……30g ／維也納香腸……2 根
綜合豆類……1 袋（50g）／水……400ml
顆粒高湯……1 小匙／鹽、胡椒……少許

作法

1　維也納香腸切成 1cm 寬。

2　材料全部丟進煮飯神器內後，點燃 14g 固體燃料，接著煮到通心粉變軟為止。

　　Ⓟoint 也可加入番茄做成義式蔬菜湯。

□炊 ☑煮 □蒸 □烤

14g×1

油燜鮭魚鮮菇

推薦選用油脂豐富的鮭魚
拌入米飯就變成燉飯料理

材料

鮭魚……1 片／杏鮑菇……1 株／美姬菇……1/3 株
白醬罐頭……80g ／牛奶……150ml ／高湯塊……1 塊
黑胡椒……適量

作法

1　杏鮑菇切成片狀，接著剝散美姬菇。

2　混合白醬與牛奶。

3　把鮭魚與所有食材都放入煮飯神器內，接著點燃 14g 固體燃料。

4　煮熟後，撒上黑胡椒就完成了。

Ⓟoint 最後可把鮭魚弄碎，除了好入口外也比較容易入味。

□炊　☑煮　□蒸　□烤

14g×1

14g×1

自製薑汁汽水 &
糖漬檸檬片

夏天可冰鎮、冬天則可改喝熱飲
還能享受加入各種飲料的樂趣

材料

自製薑汁汽水
　生薑……150g
　砂糖……150g
　水……50ml
　喜愛的香辛料
　（鷹爪辣椒、八角等）
　氣泡水

糖漬檸檬片
　檸檬……1 顆
　砂糖……100g
　蜂蜜……2 大匙
　水……50ml
　喜愛的香草
　（迷迭香、百里香等）
　氣泡水

作法

自製薑汁汽水

1　生薑切成薄片。

2　將所有材料放入煮飯神器內，點燃 14g 固體燃料。

3　一邊攪拌一邊煮到火熄滅後，放進冰箱內冷藏。最後加入氣泡水
　或其他飲料。

糖漬檸檬片

1　檸檬切成薄片。

2　將所有材料放入煮飯神器內，點燃 14g 固體燃料。

3　一邊攪拌一邊煮到火熄滅後，放進冰箱內冷藏。最後加入氣泡水
　或其他飲料。

　　Ｐoint　薑汁汽水加入鷹爪辣椒能增添辛辣風味。另外，也可加入紅酒做成
　　　　　 熱紅酒。

大福紅豆湯

活用整顆大福製作的甜點
加入生薑和肉桂能點綴出絕妙風味

材料

市售大福……1 顆（本書使用豆大福）
南瓜切塊……1 顆（約 25g）／肉桂粉……少許

A
水……200ml ／生薑泥……1/2 小匙
鹽……少許

作法

1　南瓜切成 5mm 左右的丁狀。

2　用廚房剪刀把大福以十字剪成 4 等分。

3　以湯匙取出步驟 2 其中 3 塊大福的餡料，接著將餡料放入煮飯神
　　器內（不要放餅皮）。

4　將材料 A 加入步驟 3 中充分混合，接著加入步驟 1 與剩下的 1/4
　　顆大福。

5　點燃 14g 固體燃料，蓋上蓋子後加熱到火熄滅為止。

6　丟入步驟 3 剩下的 3 塊大福皮後，撒上肉桂粉就完成了。

　　🅟oint 建議選用豆大福好增添口感。

□炊 ☑煮 □蒸 □烤

番茄海鮮法式燉菜

濃郁鮮美的海鮮湯頭
剩下的醬汁還可加入義大利麵收尾

材料

帶頭蝦⋯⋯3 隻／干貝⋯⋯2 顆／槍烏賊⋯⋯2 隻
洋蔥⋯⋯1/3 顆／蒜頭⋯⋯1 片／奶油⋯⋯10g
白酒⋯⋯30ml ／番茄罐頭⋯⋯180g
高湯塊⋯⋯1 塊／鹽⋯⋯適量／胡椒⋯⋯適量
歐芹⋯⋯適量

作法

1 替蝦子去除沙筋，槍烏賊去除軟骨。

2 洋蔥縱切成片狀，蒜頭磨泥。

3 點燃 14g 固體燃料，以奶油輕輕拌炒蒜頭後，放入蝦子、干貝、
　 槍烏賊、洋蔥，接著倒入白酒、番茄罐頭以及高湯塊燉煮。

4 在火熄滅前，添加第二塊 14g 固體燃料繼續燉煮。

5 等火熄滅後，以鹽、胡椒調味，並依喜好撒上歐芹。

　　ⓅOINT 蝦子連頭一起煮能熬出濃郁的湯頭。

集合各種巧思的冷凍食譜

創意食譜 2

近年來冷凍食品的種類愈來愈豐富,而這些已有調味的冷凍食品,非常適合過程只有加熱的自動烹飪手法。本篇將介紹幾個組合變化後,意外好吃的食譜!

配料豐富的海鮮燉飯 14g×1

作法

1. 於煮飯神器倒入橄欖油後,點燃14g 固體燃料進行加熱。
2. 加入海鮮綜合包並稍微加熱。
3. 把蝦仁炒飯、番茄醬汁加入步驟**2**,整個攪拌均勻後蓋上蓋子。
4. 等固體燃料熄滅後開蓋,最後撒上歐芹。

材料

綜合海鮮包⋯⋯1/2 袋／蝦仁炒飯⋯⋯1/2 袋／橄欖油⋯⋯適量
番茄醬汁(紙盒裝)⋯⋯1 盒／歐芹⋯⋯適量

加入番茄醬就能輕鬆做出美味燉飯!

中華風烤飯糰

14g×1

香噴噴的飯糰
與中華勾芡堪稱絕配！

作法

1　在煮飯神器內擺入兩顆烤
　　飯糰。
2　從上方淋上中華蓋飯的調
　　理包（如果是冷凍的狀態，
　　請放在烤飯糰的下方）。
3　關蓋後點燃 14g 固體燃料，
　　接著加熱到火熄滅為止。

迷你白菜捲湯

14g×1

作法

1　將五顆迷你漢堡簡單用白
　　菜包裹。
2　於煮飯神器內擺入步驟 1、
　　切成小條的適量培根、一
　　塊高湯塊和水 250ml 左右。
3　關蓋並點燃 14g 的固體
　　燃料，接著加熱到火熄滅
　　為止。

小巧可愛的迷你白菜捲
一道簡易的湯品！

Chapter

3

蒸

第 3 章

擺入蒸架後,煮飯神器馬上就成了輕便式電鍋。

其優異的導熱率,無論任何料理都能立即蒸熟。

從令人意外的烏龍麵食譜到經典的燒賣都能蒸煮,

一起來挑戰各種食材吧!

蒸煮的自動烹飪重點

水量要多

蒸煮的水量如果太少,水全部蒸發後會變成空燒,導致煮飯神器受損無法再使用。因此料理時要多加點水,或是在加熱時隨時補充。

注意不要塞太滿

煮飯神器不僅底部很燙,側面的溫度也很高。食材塞得太滿會碰到容器壁面,造成食材燒焦。因此應預留空間,或在容器表面抹油來預防。

泰式咖哩烏龍麵

泰式咖哩搭配 Q 彈的麵條，
美味恰到好處！

材料

水煮烏龍麵……1 份／橄欖油……2 小匙
罐頭（泰式黃咖哩雞）……1 罐／水……150ml
香菜……適量／鷹爪辣椒……1 根（切成圓片）
萊姆……適量

作法

1　將袋內的烏龍麵雙面都淋上橄欖油，接著從袋子外側剝成兩半。

2　在煮飯神器內擺入蒸架後加水，將步驟 1 的烏龍麵從袋中取出並擺在蒸架上。

3　點燃 14g 固體燃料，蓋上蓋子加熱時要稍微留點縫隙，隨後將罐頭擺在蓋子上（稍微拉開易拉罐的開口）。

4　等火熄滅後，把煮飯神器內的湯汁倒掉，拿出蒸架並蓋上蓋子輕輕晃動。

5　打開罐頭倒入步驟 4 中充分混合，接著撒上香菜與鷹爪辣椒。最後可依喜好擠入萊姆汁調味。

Ⓟoint 橄欖油能防止麵條黏成一團。罐頭一定要開個口以免破裂。

□炊 □煮 ☑蒸 □烤　　　　　　　　　　　4g×1

生火腿酒蒸紅蘿蔔沙拉

開蓋後柳橙香氣馬上撲鼻而來
一道很適合搭配葡萄酒的蒸沙拉料理

材料

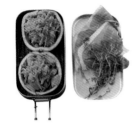

生火腿……4 片／柳橙……1 顆
杏桃乾……2 小顆（切大塊）
紅蘿蔔……50 ～ 60g（切成細絲）
白酒……50ml ／迷迭香……適量
香葉芹……適量／粗粒黑胡椒……適量
A｜肉桂粉……1/2 小匙／砂糖……1 小匙
　｜香料鹽……適量

作法

1　將柳橙切半挖出果肉，把果皮當成容器。

2　在碗等容器中混合步驟 1 的果肉、切成大塊的杏桃乾、蘿蔔絲以及材料 A。

3　把步驟 2 放入步驟 1 的柳橙果皮內。

4　在煮飯神器內倒入白酒，鋪上網架後擺入步驟 3，接著添加迷迭香並蓋上蓋子，然後點燃 4g 的固體燃料。

5　等火熄滅後開蓋，鋪上生火腿與香葉芹，最後再撒上粗粒黑胡椒就完成了。

　　Ⓟoint 注意不要蒸得太熟，以免蔬菜失去口感。

□炊 □煮 ☑蒸 □烤　　　　　　　　14g×1

熱融起司鍋

同時加熱的料理方式超簡便！
適合搭配季節性時蔬一同享用

材料

　卡芒貝爾起司……1 塊
　喜歡的配菜（維也納香腸、綠花椰、紅蘿蔔、馬鈴薯等）
　水……適量

作法

1　卡芒貝爾起司表面劃十字，用鋁箔紙包裹，蔬菜切成一口大小。

2　在煮飯神器內鋪上網架後倒入高 1cm 左右的水，擺上步驟 1 後關
　　蓋，接著點燃 14g 固體燃料。

3　等火熄滅後，打開蓋子就能把食材沾著卡芒貝爾起司一起食用。

　　Ⓟoint 用鋁箔包起整塊起司，當成容器使用。

□炊 □煮 ☑蒸 □烤

14g×1

奶油味噌蒸酪梨

酪梨融合味噌與奶油的和風口感
讓人吃一次就難以忘懷

材料

酪梨……1 顆／奶油……10g ／水……適量
A │ 味噌……1 大匙／蜂蜜……1 大匙

作法

1 酪梨對半切後去籽，並在果肉上劃出縱橫刀痕。混合材料 A，製作味噌醬汁。

2 在煮飯神器內鋪上蒸架並倒入高約 1cm 的水，擺入酪梨後點燃 14g 固體燃料。

3 等火熄滅後開蓋，塗上味噌醬，最後再擺上奶油。

Ⓟoint 蒸過的酪梨口感綿滑，建議將奶油弄入凹洞內，用湯匙挖著吃。

□炊 □煮 ☑蒸 □烤

14g×2

4g×1

巨大燒賣

豐富的肉汁無比美味！

材料

絞肉（牛豬混合絞肉）……350g／蓮藕……30g（切大塊）
金針菇……30g（切成大碎塊）／蔥……30g（切大塊）
小白菜……4～6片（僅葉片）／燒賣皮……9片／水……150m
香菜……適量（收尾裝飾用）

調味油

麻油……1大匙／酒……1大匙
A 蠔油……1大匙／鹽……少許／胡椒……少許
醬油……2大匙／砂糖……1大匙

作法

1　將蓮藕、金針菇、蔥切大塊。

2　在一個碗中把絞肉、步驟 1、材料 A 混合均勻。

3　在煮飯神器內鋪上蒸架網並加水，接著在蒸架上鋪滿小白菜葉。

4　把步驟 2 塞入步驟 3，於表面鋪上燒賣皮，並在皮的表面塗上混
　合後的調味油。

5　蓋上蓋子後點燃 14g 固體燃料，在火快熄滅前再補充第二塊 14g
　固體燃料。

6　用竹籤確認中心是否也已熟透，如果還沒熟透就再添加 4g 的固體
　燃料。

7　蒸熟後開蓋，撒上香菜後就大功告成了。

　　ⓅOINT 用竹籤穿刺時，若溢出熟透的肉汁就代表蒸熟了。

Chapter 4

烤

使用固體燃料進行燒烤頗有難度，
不過，只要事先進行防焦措施，
就能輕鬆烤出多汁可口的肉類料理，
也能製作鬆餅、烤蛋糕等療癒小點喔！

燒烤的自動烹飪重點

事先規劃預防燒焦的對策

燒烤料理必須要留意燒焦的問題，但只要有施行 p.15 介紹的防焦技巧，就算放著烤也沒有問題。

側面也要確實防護

在烤鬆餅等料理時，不僅底部，側面也要記得確實抹上奶油。其他料理也要多用點油，並留意不要接觸到側面以免燒焦。

14g×2

酪梨烤肉排

融進肉裡的香辛料是好吃的關鍵
酪梨與番茄是怎麼也吃不膩的組合

材料

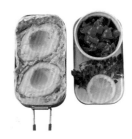

酪梨……1 大顆／雞絞肉……350g
洋蔥……1/2（切碎）／小番茄……8 顆（切成 1/4）
檸檬汁……適量／香料鹽……適量（收尾用）
檸檬片……適量（收尾用）
香葉芹 or 百里香……少許（收尾用）

A | 高湯……1.5 大匙／肉豆蔻……1/4 小匙
丁香……1/4 小匙／多香果……1/4 小匙
肉桂……1/4 小匙

作法

1 將酪梨剖半後去皮去籽。

2 將絞肉、洋蔥、材料 A 混合均勻。

3 替煮飯神器施以 p.15 的防焦措施，按照煮飯神器的形狀鋪上廚房紙巾。

4 把步驟 2 填入步驟 3 後，再將步驟 1 填入肉排。

5 蓋上蓋子後點燃 14g 固體燃料，並在火塊熄滅前，添加第 2 顆 14g 固體燃料。

6 等火熄滅後，用布包裹放置 15 分鐘。

7 用檸檬汁與香料鹽調和預先切成 1/4 的小番茄。

8 於酪梨的凹洞內倒入步驟 7，最後擺上檸檬片與香葉芹。

🅟oint 當步驟 6 的火熄滅時，應用竹籤穿刺並放在唇上測量溫度，如果不熱的話，請再添加 4g 的固體燃料繼續烤。

14g×1

4g×1

巧克力丁香蕉蛋糕

利用煮飯神器烤出鬆軟蛋糕！
濃郁巧克力搭配香蕉絕不會出錯

材料

香蕉⋯⋯1/2 根／鬆餅粉⋯⋯150g
牛奶⋯⋯100ml ／巧克力丁⋯⋯適量
奶油⋯⋯適量

作法

1 香蕉切成圓片狀。

2 將鬆餅粉與牛奶混合製作成麵糊。

3 於煮飯神器的內部確實抹滿奶油（角落要多一些，蓋子內側也要
   塗抹）。

4 將步驟 2 倒入步驟 3 後，擺上香蕉並撒上巧克力丁。

5 蓋上蓋子並點燃 14g 固體燃料。

6 大約 9 分鐘過後，請將煮飯神器倒放，並在火熄滅前再添加 4g
   固體燃料烤到熟為止！

   Ⓟoint 步驟 6 翻轉後如有液體流出，請翻回去繼續加熱。

14g×1

義大利烘蛋

雞蛋與番茄、起司的絕妙組合！
一道義大利風味煎蛋料理

材料

櫛瓜……1/2 根
培根……2 片
迷你番茄……6 顆
雞蛋……2 顆
披薩用起司……50g
橄欖油……2 大匙
鹽、胡椒……少許
黑胡椒……少許

作法

1 櫛瓜切成薄片，培根則切成 1cm 寬，接著打散雞蛋。

2 於煮飯神器內放入櫛瓜、培根與橄欖油，點燃 14g 固體燃料進行拌炒。

3 放入剩下的材料，稍微混合後蓋上蓋子。

4 等火熄滅開蓋，最後撒上黑胡椒。

POINT 多用點油以煎炸的方式調理，雞蛋料理也能不沾黏。

□炊 □煮 □蒸 ☑烤　　　　　　　　4g×2

煮飯神器鬆餅

煮飯神器形狀的鬆餅超可愛！
鬆軟的經典烘烤甜點

材料

奶油……適量
楓糖……適量

A
｜ 鬆餅粉……150g
｜ 雞蛋……1 顆
｜ 牛奶或水……50ml

作法

1　在塑膠袋內倒入材料 A 並充分揉捏混合。

2　於煮飯神器內側確實抹滿奶油（角落要多一些，蓋子內側也要塗抹）。

3　點燃 4g 固體燃料，等奶油融化後，剪開步驟 1 塑膠袋的一角，倒出一半分量。

4　待麵糊表面開始冒出泡時，用筷子等工具從煮飯神器的內測將其翻轉一圈，確認有無沾黏。接著蓋上蓋子並快速將煮飯神器倒放。

5　加熱到火熄滅後，在蓋子朝下的狀態下拿開本體，並將鬆餅取出。剩下另一半材料也用同樣的方式料理。

6　最後可依喜好搭配奶油、楓糖享用。

　　Ⓟoint 在麵糊內加入奶油能增添風味！用沙拉油也 OK。

□炊 □煮 □蒸 ☑烤

14g×3

4g×2

千層鹹派

鬆軟的馬鈴薯與鮭魚是最佳拍檔！
還可切成多塊大家一起享用

材料

鮭魚碎肉……100g ／馬鈴薯……250g（切成薄片）
洋蔥……1/2 顆（100g、切成薄片）／蒔蘿……3 ～ 5g
粗粒黑胡椒……1 小匙（抹在碎肉上）
奶油……1/2 大匙／魔法香料鹽……1 小匙

A
起司粉……1 大匙／鹽……1/4 小匙
胡椒……少許／雞蛋……1 顆
牛奶……150ml ／大蒜粉……少許

作法

1 預先把材料 A 放入碗中混合。

2 馬鈴薯抹上魔法香料鹽、洋蔥抹上奶油，鮭魚碎肉則與粗粒黑胡椒混合。

3 替煮飯神器施以 p.15 的防焦措施，按照煮飯神器的形狀鋪上廚房紙巾。

4 於步驟 3 內依序擺入 1/3 的馬鈴薯、1/2 的洋蔥、1/2 的鮭魚後，撒上 1/3 的蒔蘿。再重複一次上述步驟，最後擺上剩下的馬鈴薯。

5 將步驟 1 倒入步驟 4 後蓋上蓋子。先點燃一塊 14g 固體燃料，接著在火熄滅前依序添加兩塊 14g 以及兩塊 4g 的固體燃料。

6 離火後用布包裹保溫 15 分鐘左右。

7 最後放上剩下 1/3 的蒔蘿後就完成了。

Ⓟoint 把馬鈴薯切成薄片並以多層排列，除了比較容易熟外，也較能吸收鮭魚的甜味。

□炊 □煮 □蒸 ☑烤   4g×3 ▱

蒜香蝦

充滿夏威夷風味的南洋料理！
香脆鮮蝦建議淋上檸檬一起享用

材料

蝦子……5 隻（大隻）／岩鹽……1/4 小匙
奶油……1 片／粗粒黑胡椒……少許
檸檬……適量

A │ 橄欖油……2 大匙／蒜泥……1 小匙
  │ 生薑泥……1 小匙／白酒……2 小匙

作法

1　剝除蝦子的頭，挑除背部、腹部的沙筋，以水沖洗後擦除水分。

2　在煮飯神器內加入材料 A，充分混合後靜置 10 分鐘。

3　於步驟 2 加入岩鹽和奶油，蓋上蓋子時稍微留點縫隙，接著同時
　　點燃三塊 4g 固體燃料。

4　煮滾後就開蓋，並在中途替蝦子翻面。

5　最後撒上粗粒黑胡椒，擠入檸檬汁。

　　🅟oint 注意橄欖油不要放太多，以免噴濺。還有別忘了要幫蝦子翻面。

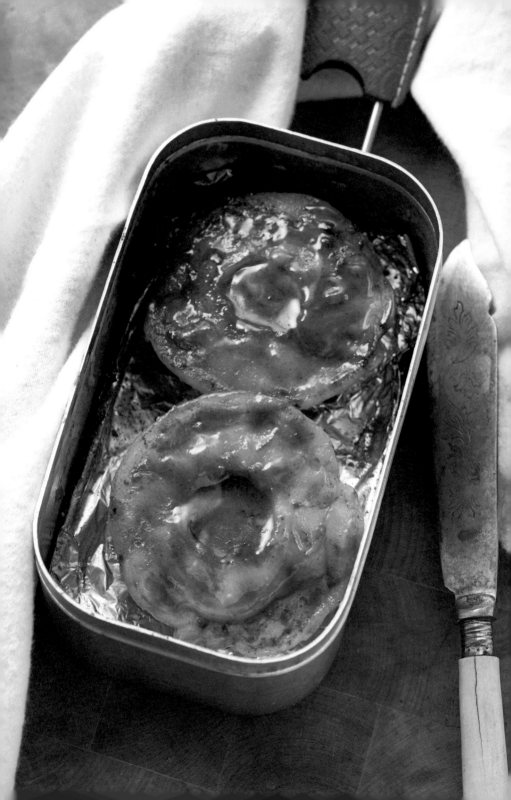

□炊 □煮 □蒸 ☑烤

14g×3
4g×2

焦糖烤蘋果

保留恰到好處的酸味與口感
和充滿果汁味的焦糖漿相得益彰

材料

蘋果……1 個（直徑 8cm、建議挑選紅龍蘋果等
帶有酸味的品種）
市售焦糖……4 顆／砂糖……1 大匙又 1 小匙
萊姆酒……1 小匙／水……2 大匙
丁香、肉桂粉……少許

作法

1 在煮飯神器內倒水，疊好兩張鋁箔紙後，將其鋪滿煮飯神器的
   內側。

2 蘋果削皮並橫向切成對半，接著要用湯匙挖除蘋果核，避免戳破
   果肉。

3 在步驟 2 的洞內分別放入 1 小匙砂糖、1/2 小匙萊姆酒以及 2 顆焦
   糖後，分別在洞的邊緣再撒上 1 小匙的砂糖與辛香料。

4 點燃 14g 固體燃料，關上蓋子加熱。

5 等火熄滅後，將分成 2 瓣的 4g 固體燃料分別放在兩顆蘋果底下
   進行加熱。

   Point 不僅底部，側面也要鋪上鋁箔以免燒焦。削掉果皮能享用蘋果的果
         汁醬。

□炊　□煮　□蒸　☑烤

14g×2

布丁奶油麵包

烤得金黃的麵包令人食指大動
蓬鬆的麵包搭配布丁內餡
無論味覺還是分量都超滿足

材料

檸檬皮……50ml（1/4 杯）／奶油……10g

布丁……140g（市售烤布丁）／奶油……適量

A｜高筋麵粉……100g／鬆餅粉……100g
　｜發粉……1/2 小匙／鹽……少許

B｜優格……90g／牛奶……2 大匙

作法

1　將 A 與 B 分別進行混合。

2　於步驟 1 的 A 中加入 10g 奶油，按壓混合均勻。

3　把步驟 1 的 B 與步驟 2 混合，揉成一顆麵團後，用保鮮膜包裹靜
　　置 30 分鐘左右。

4　於步驟 3 混入檸檬皮後，再次揉成一顆麵團。

5　替煮飯神器施以 p.15 的防焦措施，按照煮飯神器的形狀鋪上廚房
　　紙巾。

6　將步驟 4 分成三等分，每塊都延展成圓餅狀後，分別包入一大匙
　　的布丁。

7　把步驟 6 排入步驟 5 內後，於表面塗上適量的奶油，蓋上蓋子並
　　點燃 14g 固體燃料。

8　在火熄滅前添加第二顆 14g 固體燃料。

9　等火熄滅後，用布料包裹並靜置 2 ～ 3 小時

　　🅟oint　當步驟 9 的火熄滅時，應用竹籤穿刺並放在唇上測量溫度，如果不
　　　　　　熱的話，請再添加 4g 固體燃料繼續烘烤。

美乃滋焗烤魚漿餅

柔軟的魚漿餅搭配味道濃郁的美乃滋起司
蹦出讓人停不下嘴的好滋味

材料

大塊魚漿餅……1 片／水煮蛋……2 顆
綜合豆類……50g ／披薩用起司……50g
歐芹……適量

A
洋蔥（切碎）……1/2 顆／美乃滋……2 大匙
顆粒芥末……1 大匙／牛奶……2 大匙
鹽……適量／胡椒……適量

作法

1 將魚漿餅切成 2cm 的四方形，水煮蛋則切成 5mm 厚的圓片狀。

2 把混合後的材料 A 的一半倒入煮飯神器內，放入魚漿餅、水煮蛋、綜合豆類後，再淋上剩下的材料 A。

3 於步驟 2 撒上披薩用起司，點燃 14g 固體燃料，接著在火快熄滅時，再補充一塊 14g 固體燃料繼續加熱。

4 烤好後，撒上歐芹就完成了。

POINT 內容物太多會容易溢出，建議裝到蓋子的界線處為佳。

☐炊 ☐煮 ☐蒸 ☑烤

14g×1

奇異果布丁麵包

吸飽甜味的法國麵包與
奇異果的酸味是最佳拍檔

材料

法國麵包……1/3 條
牛奶……200ml
粗砂糖……30g
雞蛋……2 顆
綠色奇異果……1/2 個
黃色奇異果……1/2 個
楓糖……適量

作法

1　於煮飯神器內混合牛奶（50ml）、粗砂糖（15g）。法國麵包隨意切成一口大小後，擺入煮飯神器內浸泡。

2　充分混合雞蛋、牛奶（150ml）、粗砂糖（15g）後，淋在步驟 1 上。

3　替兩種奇異果去皮並切成圓片狀後，排在步驟 2 的法國麵包上。

4　蓋上蓋子，點燃 14g 固體燃料進行加熱。

5　等火熄滅後開蓋，淋上楓糖後就完成了。

🄿OINT　步驟 4 開蓋時若表面尚未凝固，應補充 4g 的固體燃料繼續烘烤。

能闔家享用的
加大版煮飯神器食譜

本篇將介紹可製作出分量比普通煮飯神器更大，且適合家庭的加大版煮飯神器食譜，敬請與家人一同享用美食！

雙料簡易水餃皮披薩

14g×1

材料

水餃皮……6 片／披薩醬……適量
橄欖油……適量／洋蔥絲……適量
維也納香腸……通量
鮪魚罐頭……1 罐／玉米……適量
披薩用起司……適量／義大利歐芹……適量

作法

1 於煮飯神器內倒入橄欖油後，以讓餃子皮邊緣重疊的方式鋪上餃子皮。

2 將所有的皮都塗滿披薩醬，左半邊擺上洋蔥絲與維也納香腸，右半邊則擺上鮪魚和玉米。

3 於步驟 **2** 上撒滿披薩用起司，點燃 14g 固體燃料後蓋上蓋子。

4 等火熄滅後開蓋，用噴槍輕輕炙燒表面，最後擺上義大利歐芹。

可以跟孩子一起製作的簡易經典披薩食譜！

高麗菜滿滿豚平燒

14g×2

分量十足
一家人也絕對能吃飽！

作法

1. 點燃 14g 的固體燃料，放入油、切絲的 1/4 顆高麗菜、1/2 袋豆芽菜與 150g 的豬碎肉下去拌炒。
2. 用鹽、胡椒調味，等全部炒軟後，將食材推到手把側。
3. 在空下來的前側倒入大量的油，接著倒入 3 顆份的蛋液，然後讓煮飯神器的前側對準火源。
4. 蓋上蓋子直到火熄滅後，將配料盛到煎蛋上，最後依喜好淋上醬汁、美乃滋加以調味。

壽喜燒

14g×2

作法

1. 在煮飯神器內塗上一層薄油後，裝入足量的牛肉、白菜、長蔥、煎豆腐、蒟蒻麵等喜歡的配料。
2. 製作含 100ml 水、100ml 醬油、30g 砂糖、100mg 味醂的佐料醬汁後，將醬汁淋入其中。
3. 蓋上蓋子，點燃 2 塊並排的 14g 固體燃料，加熱到火熄滅為止。
4. 打顆雞蛋，搭配煮熟的食材一同享用。

導熱率優異的煮飯神器
能煮出美味的壽喜燒！

蒸肉片蔬菜捲

可改變食材或醬汁，
享受各種味覺變化！

作法

1 在加大版煮飯神器內鋪上網架，倒入約0.5cm高的水。

2 準備足量的水菜、豆苗、豆芽菜等蔬菜，用豬肉捲好後擺入煮飯神器中。

3 撒上胡椒，點燃固體燃料14g，關蓋並蒸到火熄滅為止。蒸熟後可搭配柚子醋享用。

繽紛時蔬熱沾醬料理

14g×1
4g×1

作法

1 一開始先將1大匙蒜泥、5隻搗碎的鯷魚、4大匙牛奶、適量的鹽及胡椒，還有4大匙橄欖油放入鈦杯中，並預先用4g固體燃料加熱。

2 在加大版煮飯神器中擺入蒸架，倒入約0.5cm高的水，擺入紅、黃甜椒、綠花椰、蘆筍等各類喜歡的食材。

3 點燃14g固體燃料後，蓋上蓋子蒸煮。蒸好後就能沾著步驟**1**已加熱的醬料一同品嚐。

利用多彩多姿的蔬菜妝點煮飯神器！

巧克力鍋

14g×2

孩子也喜歡的點心食譜

作法

1. 在加大版煮飯神器裝入高約2cm的水，排擺好2塊14g固體燃料，點火加熱。
2. 在鈦杯內倒入200ml的牛奶與弄碎的2片板巧克力後，將鈦杯放入步驟 **1** 中。
3. 待水沸騰後，將步驟 **2** 攪拌至融化，隨後便可沾著切塊的香蕉、棉花糖等配料享用。

千層白菜豬肉鍋

14g×2

外觀華麗的經典鍋物食譜！

作法

1. 在加大版煮飯神器內放入交疊白菜與豬肉。
2. 均勻撒上和風高湯粉後，淋上300ml的水。
3. 點燃2塊並排的14g固體燃料，關上蓋子並加熱至火熄滅為止。

1

去除焦垢的方法

　　鋁製的煮飯神器在油分或水分少的烹調方式中會產生焦垢。尤其是「炊煮」、「燒烤（炒）」等調理時，必須要有燒焦的覺悟。以下將介紹利用醋與太陽光來去除焦垢的方法。

① **倒入醋煮至沸騰**

於煮飯神器內倒入能淹過焦垢的水量，加入 2 大匙的醋，輕輕混合後點火加熱。應持續沸騰煮至鍋底焦垢變軟為止。

② **曬太陽**

在陽台或庭院等戶外將煮飯神器立好並調整角度，使鍋底能照到陽光。晴天大約曬一到兩天，陰天則放置一週左右，快下雨時要記得收進室內。

③ **剝離焦垢**

充分照射紫外線後，乾燥的焦垢便會龜裂。這時以手指一捏起就能剝除，接著只要用海綿輕輕摩擦便能清除焦垢。

④ **完成！**

雖然用鋼絲刷等工具用力刷洗也能去除焦垢，但這樣不但費力，還會傷到煮飯神器。因此若距離下一次使用還有點時間的話，建議各位可利用這種日照法來去除汙垢。

2
去除煤垢的方法

　　雖然任何烹飪器具都會遇到這個問題，但鋁製煮飯神器在用固體燃料加熱時，特別容易產生煤垢。以下就要來介紹清除煤垢，以及讓器具不容易產生煤垢的方法。

① 抹上清潔劑

使用煮飯神器前先塗上中性清潔劑，就能預防固體燃料加熱時會產生的煤垢。塗抹時僅需用海綿輕輕抹上即可。

② 放進含有醋的熱水裡煮

在鍋中加入能完全浸泡煮飯神器的水與白醋，比例約為 8：2 左右。浸入煮飯神器後點火，並持續沸騰煮一陣子。

③ 用奈米海棉擦拭

等步驟 2 的煮飯神器冷卻後，用廚房紙巾擦除水分，接著用充分吸水的奈米海綿仔細擦除煤垢，最後再以中性清潔劑清洗乾淨。

④ 完成！

替變乾淨的煮飯神器擦除水分後，別忘了進行步驟 1 的作業，最後還要輕輕用乾布擦拭並乾燥。去除煤垢時不要大力清洗，而是要像這樣仔細慢慢沖洗，避免器具磨損。

3
鏡面加工

　　煮飯神器在反覆使用下也會變髒。尤其是帶去登山或露營時，以固形燃料加熱就特別容易髒。為了保持美觀，我們可以善用鏡面加工法，讓外蓋可以維持閃閃發亮。

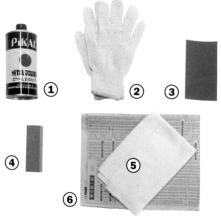

必備工具

① 金屬拋光劑
② 棉紗手套
③ 耐水砂紙
④ 支撐用木塊
⑤ 抹布（布料）
⑥ 報紙

※ 請詳閱金屬拋光劑上記載的使用注意事項後再行使用。

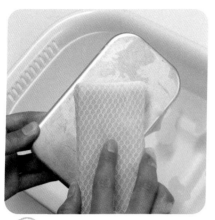

(1) **以清潔劑洗掉油分**

用中性清潔劑徹底清洗煮飯神
器,去除沾附在表面的油分。
清洗完畢後,用乾布擦除水分
並乾燥。

(2) **用耐水砂紙摩擦**

使用耐水砂紙摩擦表面。摩擦時
砂紙應從較粗的號數逐漸換到較
細的號數,從 800 號開始依序換
成 1000 號、1500 號。

(3) **用拋光劑拋光**

在打開拋光劑前應充分搖晃,用
抹布等柔軟的布料取適量後,對
煮飯神器的表面進行拋光。這裡
建議使用支撐用木塊,不僅輕
鬆,還能研磨得更漂亮。

(4) **用布擦拭後就完成了!**

最後用乾淨的布擦掉煮飯神器表
面殘留的拋光劑後就大功告成。
金屬拋光劑除了能去污,還能將
生鏽一併去除乾淨。

4
氟素塗層加工

　　雖然本書已在 p.118 介紹過去除焦垢的方法，但也要介紹讓器具更不容易產生焦垢的祕訣。此方法僅需市售商品就能輕鬆完成，而若希望有更好的效果，則建議可尋求專業人士協助。

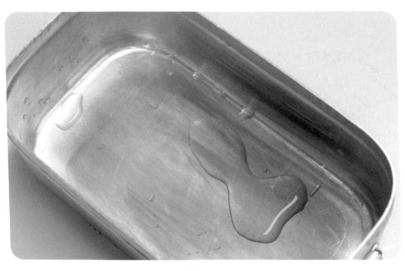

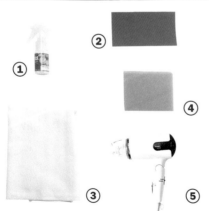

必備工具

① 氟素塗層加工劑
② 耐水砂紙
③ 抹布（布料）
④ 海綿
⑤ 吹風機

① 以清潔劑洗掉油分

用中性清潔劑徹底清洗煮飯神器，確實去除沾附在表面的髒污、油分。清洗完畢後，用乾布擦除水分並乾燥。

② 用耐水砂紙摩擦

跟 p.120 的鏡面加工一樣，使用耐水砂紙摩擦表面。內側的邊緣比較難處理，建議可將免洗筷等較細的物體當成支撐木會較容易進行。

③ 抹上塗層加工劑

噴上適量的氟素塗層加工劑，並用海綿於煮飯神器的內側進行塗抹。這時可將海綿剪成容易使用的大小。

④ 反覆加工後就完成了！

整個塗抹均勻後，用抹布等乾布完全擦除表面的白色水分，而此時要注意如果水分乾掉會很難擦除。大約反覆 4～5 次，完成厚塗的塗層加工，最後利用吹風機以溫風（80～90℃）進行加熱。

5

常見錯誤使用範例

　　本篇將介紹煮飯神器使用上的注意事項，其中有一般常見的錯誤，也有極為危險的錯誤方式，各位在使用時務必多加留意。經常使用與仔細清洗是延長使用壽命的訣竅。

用洗碗機清洗

洗碗機中的洗碗機用洗劑會導致煮飯神器變黑。使用中性洗碗精與海綿等仔細清洗才是最佳的清潔方式。

使用小蘇打粉

小蘇打粉雖然是很方便的去汙利器，但它並不適合用於鋁製材質的物品。小蘇打粉（＝碳酸氫鈉）的成分屬於弱鹼性，加熱會使鹼性物質與鋁產生化學反應，導致容器變黑。

營火加熱

煮飯神器的鋁材十分輕薄，若長時間放在溫度過高的營火上加熱，會燒出破洞。在運用這樣的火源時，一定要留意以較小的火力加熱。

空燒

理由和使用營火相同。鋁的熔點約為 600℃，比鐵等其他金屬要低，故空燒會導致容器受損。

使用微波爐

道理和鋁箔紙不能用於微波爐一樣，煮飯神器也不能以微波爐加熱。若不小心把煮飯神器放入微波如中加熱，內部會馬上產生火花，還有可能會發生爆炸。

加熱手把

在戶外使用固體燃料烹飪時，強風可能會導致固體燃料的火焰燒到把手。特別要留意的是手把一旦著火，火勢會非常強勁。若沒有擋風板等工具時，點火後一定要顧好，勿任意放置。

STAFF

書籍設計
尾崎行歐、宮岡瑞樹
齋藤雅美、宗藤朱音（o-gd-s）

照片
三輪友紀（STUDIO DUNK）
原田真理、後藤秀二、勝川健一
吉岡教雄、輿石フリオ（BURONICA）

校對
戶羽一郎

編輯・撰寫
高橋敦、渡邊有祐（FIG INC.）、
五十嵐雅人（山與溪谷社）

DTP
官川柚希、佐佐木麗奈（STUDIO DUNK）、
中尾 剛、菅沼祥平

食譜、創意提供者

Sachi

自 2002 年開始擔任甜點師傅與甜點講師，之後也曾為廣告、雜誌設計食譜或擔任食物造型師，還有多本甜點相關食譜書籍著作，活躍於多個領域。近年來也開始從事戶外活動。

Pear

寒川 Setsuko 與女兒組成的新組合。除了在 TAKIBI cafe 等各類型工坊擔任料理廚師外，也有承接派對的外燴服務。結合「不想麻煩！」、「不想浪費！」、「想吃美食！」這三項理念，每天都在研發新菜色。

Paerian

由「戶外食譜」網頁的創建者千秋廣太郎，以及前義大利料理主廚藤井堯志兩人組成的戶外料理團隊。曾參與早餐節、CHUMS CAMP，還曾與知名企業合作，參與過多項食品活動。憑藉在廣告公司的豐富經歷，能為客戶提供從戰略規劃、食品內容研發、資訊傳遞到活動餐飲的一站式服務。

木村 遙

曾擔任料理研究者與食物造型師助理，待過工作室，而後獨立成為一名食物造型師。目前主要活躍於書籍、雜誌、網路、廣告等領域。非常喜愛煮飯神器的實用性及其時尚的外觀，是名煮飯神器的愛好者。

創意提供者 ⟶ 煮飯神器愛好會

生活樹　生活樹系列 095

Mess Tin 煮飯神器野炊料理
メスティン自動レシピ

作　　　　者	戶外煮飯神器愛好會
譯　　　　者	洪薇
封 面 設 計	張天薪
版 型 設 計	theBAND・變設計— Ada
內 文 排 版	許貴華
責 任 編 輯	謝宥融
行 銷 企 劃	黃安汝
出版一部總編輯	紀欣怡

出　　版　　者	采實文化事業股份有限公司
業 務 發 行	張世明・林踏欣・林坤蓉・王貞玉
國 際 版 權	王俐雯・林冠妤
印 務 採 購	曾玉霞
會 計 行 政	王雅蕙・李韶婉・簡佩鈺
法 律 顧 問	第一國際法律事務所　余淑杏律師
電 子 信 箱	acme@acmebook.com.tw
采 實 官 網	www.acmebook.com.tw
采 實 臉 書	www.facebook.com/acmebook01

I　S　B　N	978-986-507-766-2
定　　　　價	330 元
初 版 一 刷	2022 年 4 月
劃 撥 帳 號	50148859
劃 撥 戶 名	采實文化事業股份有限公司
	104 台北市中山區南京東路二段 95 號 9 樓
	電話：(02)2511-9798　傳真：(02)2571-3298

國家圖書館出版品預行編目資料

Mess Tin 煮飯神器野炊料理 / 戶外煮飯神器愛好會著；洪薇譯 . -- 初版 . -- 臺
北市 : 采實文化事業股份有限公司 , 2022.04
128　面 ; 14.8×21　公分 . -- (生活樹系列 ; 95)
譯自：メスティン自動レシピ
ISBN 978-986-507-766-2(平裝)

1.CST: 食譜

427.1　　　　　　　　　　　　　　　　　　　　　　　111002311

MESSTIN JIDOU RECIPE
Copyright © 2019 by messtin club
Originally published in Japan in 2019 by Yama-Kei Publishers
Co.,Ltd.,,TOKYO.
Traditional Chinese edition copyright ©2022 by ACME Publishing Co., Ltd.
This edition published by arrangement with Yama-Kei Publishers
Co.,Ltd.,,TOKYO,
through TOHAN CORPORATION, TOKYO and KEIO CULTURAL ENTERPRISE
CO.,LTD., NEW TAIPEI CITY.
All rights reserved.